PETIT DICCIONARI DALÍ
PEQUEÑO DICCIONARIO DALÍ
LITTLE DALÍ DICTIONNARY
PETIT DICTIONNAIRE DALÍ
KLEINES DALÍ-WÖRTERBUCH

Petit diccionari Dalí
Realització i coordinació: Jordi Falgàs. Fundació Gala-Salvador Dalí
Supervisió acadèmica i artística: Centre d'Estudis Dalinians. Fundació Gala-Salvador Dalí
Direcció d'art, disseny i fotocomposició: [bis]: Alex Gifreu i Pere Alvaro
El nostre agraïment a Antoni Pitxot, director del Teatre-Museu Dalí
Primera edició: octubre de 2001

TOTES LES OBRES ES PODEN VEURE AL TEATRE-MUSEU DALÍ DE FIGUERES
TODAS LAS OBRAS PUEDEN VERSE EN EL TEATRO-MUSEO DALÍ DE FIGUERES
ALL WORKS ARE ON DISPLAY AT THE DALÍ THEATER-MUSEUM IN FIGUERES
ON PEUT ADMIRER TOUTES LES OEUVRES AU THÉÂTRE-MUSÉE DALÍ, À FIGUERES
ALLE WERKE SIND IM THEATER-MUSEUM DALÍ IN FIGUERES AUSGESTELLT

Els textos d'aquest llibre són en cinc llengües i apareixen sempre en aquest ordre:
català, castellà, anglès, francès, alemany
Los textos de este libro son en cinco idiomas, y aparecen siempre en este orden:
catalán, español, inglés, francés, alemán
The texts in this book are in five languages, and always appear in the following order:
Catalan, Spanish, English, French, German
Les textes de ce livre sont en cinq langues et apparaissent toujours dans l'ordre suivant:
catalan, espagnol, anglais, français, allemand
Die Texte dieses Buches sind in fünf Sprachen abgefaßt und erscheinen immer in der
Reihenfolge Katalanisch, Spanisch, Englisch, Französisch und Deutsch

Distribucions d'art surrealista, s.a.
© Edició: Distribucions d'Art Surrealista, Figueres, 2001
© Obres de Salvador Dalí: Fundació Gala-Salvador Dalí, Figueres, 2001
das@gi.intercom.es
www.salvador-dali.org

Fotomecànica: Roger
Imprès a: Gràfiques Trema
Dipòsit legal: GI-1.101-2001
ISBN: 84-607-3059-X

Portada: *L'espectre del sex-appeal*, 1932 (detall)
Pàgina 3: Salvador Dalí cap als quatre anys (detall)
Pàgina 5: Salvador Dalí al seu estudi Portlligat, 1958 (detall). Foto: Melitó Casals "Meli"

Salvador Dalí va néixer a Figueres l'any 1904, i quan era petit ja li agradava molt dibuixar i pintar. Sovint feia retrats del seu pare i de la seva germana, i també li agradava pintar paisatges de Cadaqués, que és el poble on anava a passar les vacances. Quan va ser més gran es va convertir en un artista molt famós, i feia exposicions de les seves pintures a tot el món. Gala va ser la seva companya, model, i esposa, i també li va fer molts retrats. El 1974 va inaugurar el Teatre-Museu Dalí a Figueres, on es poden veure moltes pintures seves, i també el seu cotxe amb pluja a l'interior, i un sofà en forma de llavis! L'any 1983 Dalí va crear la Fundació Gala-Salvador Dalí, la institució que des d'aleshores conserva, protegeix i divulga la seva obra.

Salvador Dalí nació en Figueres el año 1904, y cuando era pequeño ya le gustaba mucho dibujar y pintar. A menudo hacía retratos de su padre y de su hermana, y también le gustaba pintar paisajes de Cadaqués, que es el pueblo donde pasaba sus vacaciones. Cuando fue mayor se convirtió en un artista muy famoso, y hacía exposiciones de sus pinturas en todo el mundo. Gala fue su compañera, modelo, y esposa, y a ella también le hizo muchos retratos. En 1974 inauguró el Teatro-Museo Dalí en Figueres, donde se pueden ver muchas de sus pinturas, y también su coche con lluvia en el interior, y un sofá con forma de labios! El año 1983 Dalí creó la Fundación Gala-Salvador Dalí, la institución que desde entonces conserva, protege y divulga su obra.

Salvador Dalí was born in Figueres in 1904, and as a child loved drawing and painting. He would often do portraits of his father and his sister, and he also liked painting landscapes of Cadaqués, the village he'd spend the holidays in. When he was bigger he became a very famous artist and put on exhibitions of his paintings all over the world. Gala was his lady-friend, model and wife, and he did a lot of portraits of her too. In 1974 the Dalí Theatre-Museum was inaugurated in Figueres, and many of his paintings can be seen there, along with his car with rain inside it and a sofa in the shape of lips! In 1983 Dalí established the Gala-Salvador Dalí Foundation, the institution which is devoted to preserve, protect and promote his work.

Salvador Dalí est né à Figueres en 1904; tout enfant, il aimait déjà beaucoup dessiner et peindre. Il faisait souvent le portrait de son père et de sa sour et aimait aussi peindre les paysages de Cadaqués, le village où il passait ses vacances. Quand il a grandi, il est devenu un artiste très célèbre qui exposait ses peintures dans le monde entier. De Gala, qui a été sa compagne, son modèle et son épouse, il a aussi fait très souvent le portrait. En 1974, il a inauguré le Théâtre-musée Dalí de Figueres, où on peut voir beaucoup de ses toiles, sa voiture où il pleut dedans et un canapé en forme de lèvres !

En 1983, Dalí a créé la Fondation Gala-Salvador Dalí, institution qui, depuis lors, conserve, protège et divulgue son oeuvre.

Salvador Dalí wurde 1904 in Figueres geboren, und schon als kleiner Junge tat er nichts lieber, als zu zeichnen und zu malen. Immer wieder porträtierte er so seinen Vater und seine Schwester; auch die Landschaft von Cadaqués, dem Ort, in dem die Familie Dalí ihren Urlaub verbrachte, war immer wieder Gegenstand seiner ersten Bilder. Als Erwachsener wurde er dann zu einem berühmten Maler und konnte seine Werke bei Ausstellungen auf der ganzen Welt präsentieren. Gala war seine Lebensgefährtin, sein Modell und seine Ehefrau, und auch von ihr malte er viele Bilder. Im Jahr 1974 eröffnete er sein Theater-Museum in Figueres, in dem heute viele seiner Werke hängen. Zu sehen sind ferner sein Auto, in dessen Innenraum es regnet, sowie ein Sofa in Form eines Mundes mit rosa Lippen. Im Jahre 1983 rief Dalí die Stiftung Gala-Salvador Dalí ins Leben, die sich seither der Sicherung, dem Schutz und der Verbreitung seines Werkes widmet.

PETIT DICCIONARI DALÍ PEQUEÑO DICCIONARIO DALÍ LITTLE DALÍ [

TIONNARY PETIT DICTIONNAIRE DALÍ KLEINES DALÍ-WÖRTERBUCH

AMPOLLA

BOTELLA

BOTTLE

BOUTEILLE

FLASCHE

ARBRE

ÁRBOL

TREE

ARBRE

BAUM

BARCA

BARCA

BOAT

BARQUE

BOOT

BARRET

SOMBRERO

HAT

CHAPEAU

HUT

BIGOTI

BIGOTE

MOUSTACHE

MOUSTACHE

SCHNURRBART

BRAÇALET

BRAZALETE

BRACELET

BRAÇELET

ARMBAND

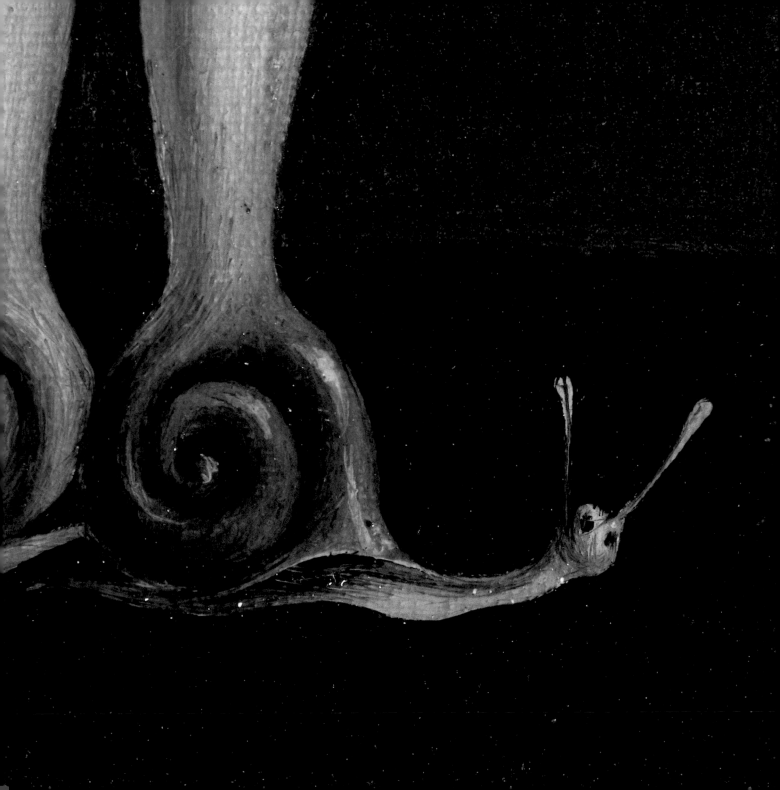

CARGOL

CARACOL

SNAIL

ESCARGOT

SCHNECKE

CARGOL DE MAR

CARACOLA

SEASHELL

COQUILLAGE

MUSCHEL

CASA

CASA

HOUSE

MAISON

HAUS

CAVALL

CABALLO

HORSE

CHEVAL

PFERD

COR

CORAZÓN

HEART

COEUR

HERZ

COTXE

COCHE

CAR

VOITURE

AUTO

ESPELMA

VELA

CANDLE

BOUGIE

KERZE

ESTRELLA DE MAR

ESTRELLA DE MAR

STARFISH

ÉTOILE DE MER

SEESTERN

FLOR

FLOR

FLOWER

FLEUR

BLUME

FORMIGUES

HORMIGAS

ANTS

FOURMIS

AMEISEN

GLOBUS

GLOBO

BALLOON

BALLON

BALLON

ILLA

ISLA

ISLAND

ÎLE

INSEL

LLAÇ

LAZO

BOW

RUBAN

SCHLEIFE

LLAVIS

LABIOS

LIPS

LÈVRES

LIPPEN

LLIBRE

LIBRO

BOOK

LIVRE

BUCH

LLUNA

LUNA

MOON

LUNE

MOND

MÀ

MANO

HAND

MAIN

HAND

MAGRANA

GRANADA

POMEGRANATE

GRENADE

GRANATAPFEL

MIRALL

ESPEJO

MIRROR

MIROIR

SPIEGEL

MOSCA

MOSCA

FLY

MOUCHE

FLIEGE

NEN

NIÑO

BOY

ENFANT

KIND

NÚVOL

NUBE

CLOUD

NUAGE

WOLKE

OCELL

PÁJARO

BIRD

OISEAU

VOGEL

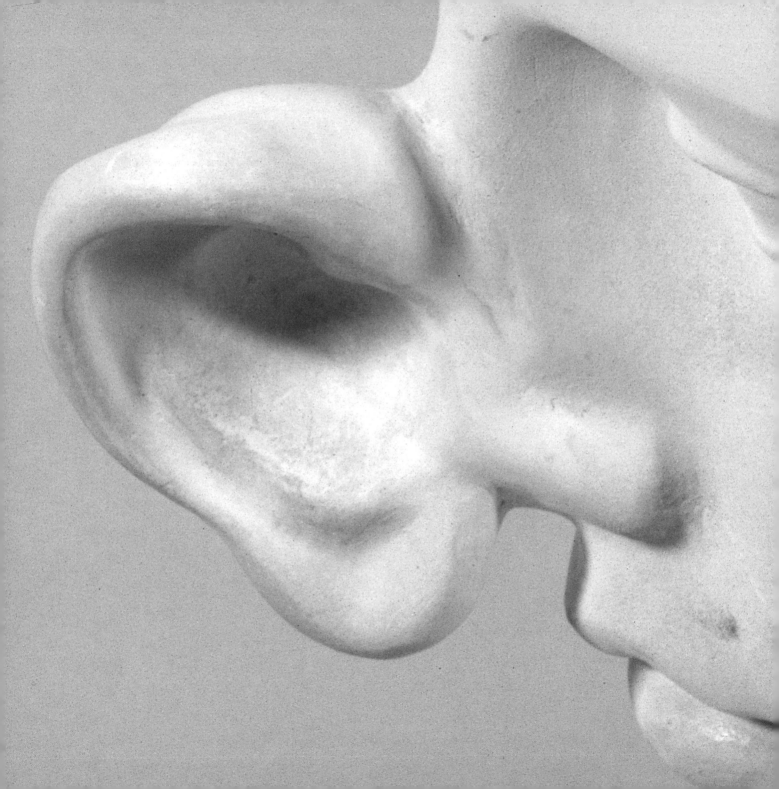

ORELLA

OREJA

EAR

OREILLE

OHR

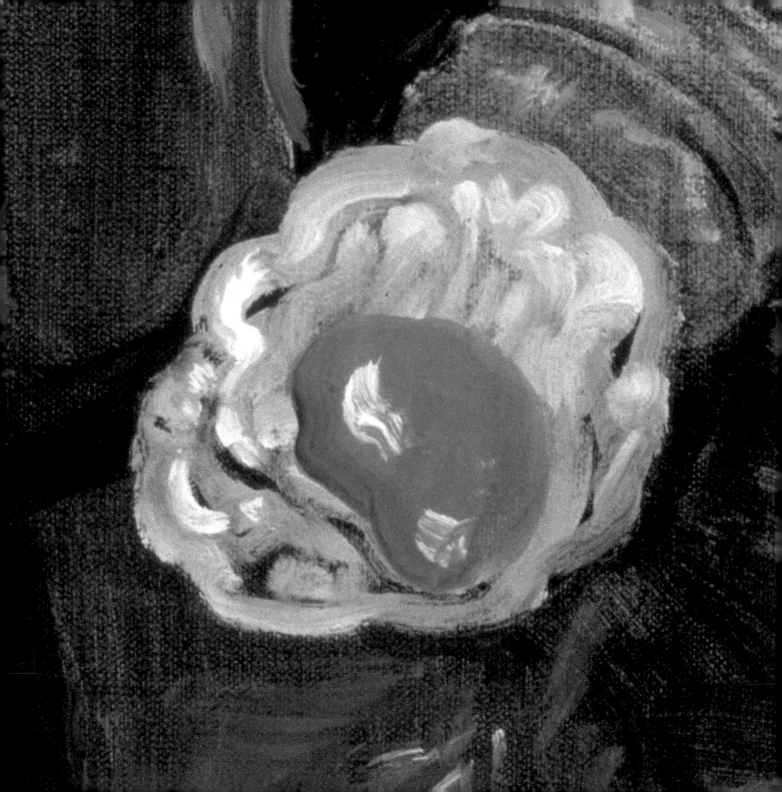

OU FERRAT

HUEVO FRITO

FRIED EGG

OEUF SUR LE PLAT

SPIEGELEI

PA

PAN

BREAD

PAIN

BROT

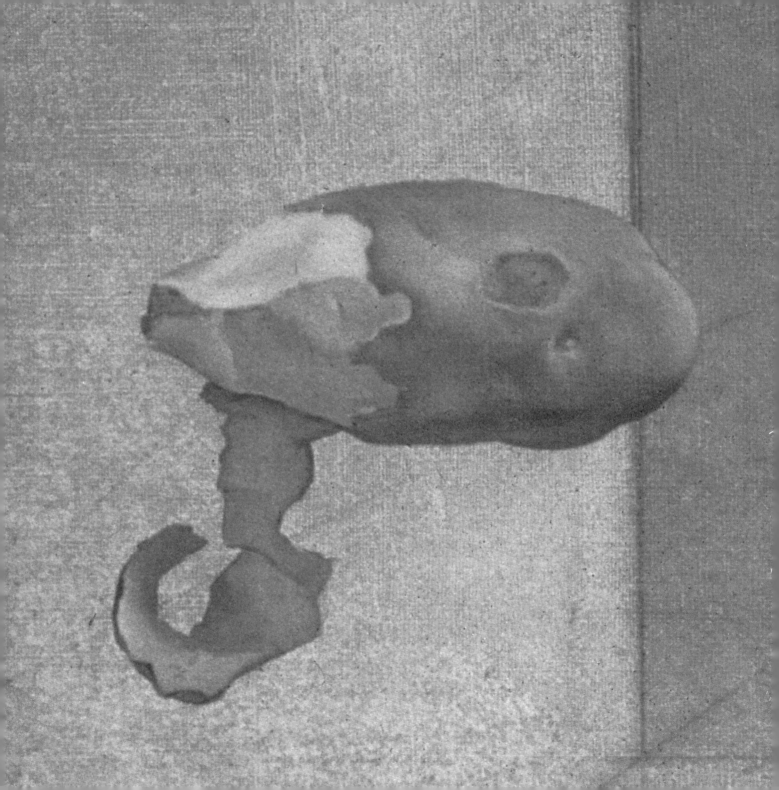

PATATA

PATATA

POTATO

POMME DE TERRE

KARTOFFEL

PEIX

PEZ

FISH

POISSON

FISCH

PEU

PIE

FOOT

PIED

FUSS

PIANO

PIANO

PIANO

PIANO

KLAVIER

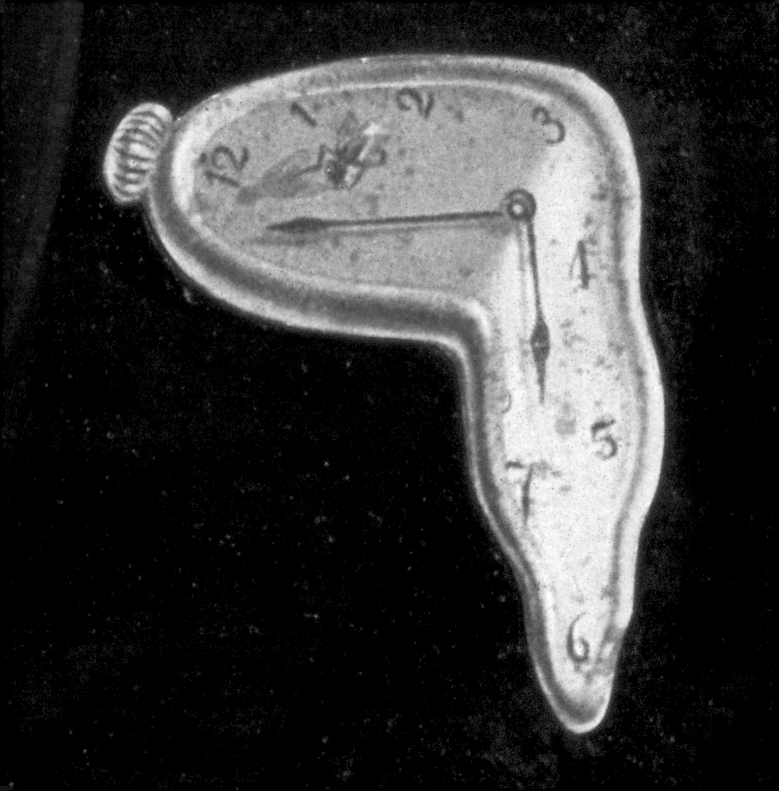

RELLOTGE

RELOJ

WATCH

MONTRE

UHR

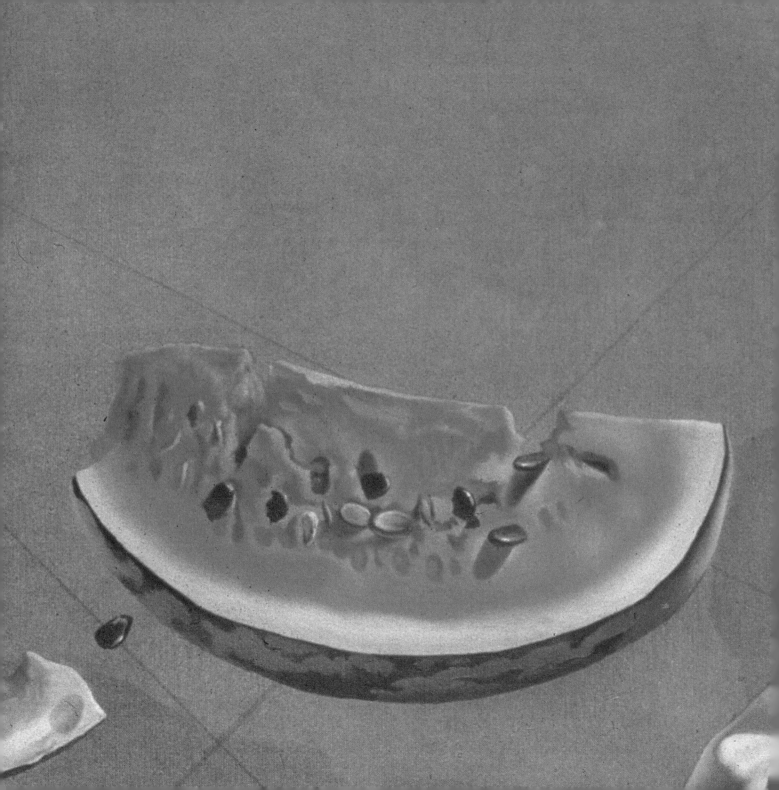

SÍNDRIA

SANDÍA

WATERMELON

PASTÈQUE

WASSERMELONE

TISORES

TIJERAS

SCISSORS

CISEAUX

SCHERE

ULL

OJO

EYE

OEIL

AUGE

OBRES OBRAS WOF

KS OEUVRES WERKE

08|09

Natura morta amb paisatge al fons, 1921
Bodegón con paisaje al fondo, 1921
Still-life with Landscape on the Background, 1921
Nature morte avec paysage au fond, 1921
Stilleben mit Landschaft im Hintergrund, 1921

10|11

Desmaterialització del nas de Neró, 1947
Desmaterialización de la nariz de Nerón, 1947
Dematerialization of Nero's Nose, 1947
Dématérialization du nez de Néron, 1947
Dematerialisation von Neros Nase, 1947

12|13

Es Pianc, 1919

14|15

Les fires de Figueres, c. 1921
Las ferias de Figueres, c. 1921
The Figueres Festival, c. 1921
Les foires de Figueres, c. 1921
Jahrmarkt in Figueres, c. 1921

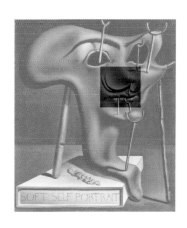

16|17

Autoretrat tou amb bacon fregit, 1941
Autoretrato blanco con bacon frito, 1941
Soft Self-portrait with Fried Bacon, 1941
Autoportrait mou avec lard grillé, 1941
Weiches Selbstporträt mit gebratenem Speck, 1941

18|19

Galarina, 1944-45

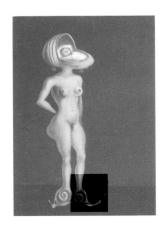

20|21
Cadavre exquis, C. 1934

22|23
Lluna i cargol de mar damunt una roca, 1928
Luna y caracola sobre una roca, 1928
Moon and Seashell on a Rock, 1928
Lune et coquillage sur un rocher, 1928
Mond und Muschel auf einem Felsen, 1928

24|25
Casa familiar d'Es Llané, C. 1918
Casa familiar de Es Llané, C. 1918
Family house at Es Llané, C. 1918
Maison familiale à Es Llané, C. 1918
Haus der Familie Dalí in Es Llané, C. 1918

26|27

Estudi per a La batalla de Tetuan, 1962
Estudio para La batalla de Tetuán, 1962
Study for The battle of Tetuan, 1962
Étude pour La bataille de Tétouan, 1962
Studie für Die Schlacht von Tetuan, 1962

28|29

El cor reial, 1953
El corazón real, 1953
The Royal Heart, 1953
Le coeur royal, 1953
Das königliche Herz, 1953

30|31

Automòbils vestits, 1941
Automòviles vestidos, 1941
Dressed Automobiles, 1941
Automobiles habillées, 1941
Eingekleidete Automobile, 1941

32|33

Poesia d'Amèrica - Els atletes còsmics, 1943
Poesía de América - Los atletas cósmicos, 1943
Poetry of America - The Cosmic Athletes, 1943
Poésie d'Amérique - Les athlètes cosmiques, 1943
Amerikanisches Gedicht - Die Athleten des Kosmos, 1943

34|35

Figura rinoceròntica de l'Ilisos de Fídies, 1954
Figura rinoceróntica del Ilisos de Fídias, 1954
Rhinocerontic Figure of Phidias' Illisus, 1954
Figure rhinocérontique de l'Ilisos de Phidias, 1954
Rhinozerontische Figur von Phidias' Ilissos, 1954

36|37

Retrat de Picasso, 1947
Retrato de Picasso, 1947
Portrait of Picasso, 1947
Portrait de Picasso, 1947
Porträt von Picasso, 1947

38|39

Bust de dona retrospectiu, 1933 i 1970

Busto de mujer retrospectivo, 1933 y 1970

Retrospective Bust of a Woman, 1933 and 1970

Buste de femme rétrospectif, 1933 et 1970

Retrospektive Büste einer Frau, 1933 und 1970

40|41

Paisatge de l'Empordà, amb figures, 1923–24

Paisage del Ampurdán, con figuras, 1923–24

Figures in the Empordà Landscape, 1923–24

Paysage de l'Empordà avec figures, 1923 24

Landschaft des Empordà, mit Figuren, 1923–24

42|43

Figura rinoceròntica de l'Ilisos de Fídies, 1954

Figura rinoceróntica del Ilisos de Fídias, 1954

Rhinocerontic Figure of Phidias' Illisus, 1954

Figure rhinocérontique de l'Ilisos de Phidias, 1954

Rhinozerontische Figur von Phidias' Ilissos, 1954

44|45
Retrat de la meva cosina Anna Maria (Anna Maria petita), 1920-22
Retrato de mi prima Anna Maria (Anna Maria pequeña), 1920-22
Portrait of My Cousin Anna Maria (Younger Anna Maria), 1920-22
Portrait de ma cousine Anna Maria (Anna Maria petite), 1920-22
Portrait meiner Cousine Anna Maria (die kleine Anna Maria), 1920-22

46|47
Sala Mae West, 1974
Sala Mae West, 1974
Mae West Hall, 1974
Salle Mae West, 1974
Mae-West-Saal, 1974

48|49
Leda atòmica, 1949
Leda atómica, 1949
Atomic Leda, 1949
Leda atomique, 1949
Atomare Leda, 1949

50|51

Els primers dies de primavera, 1923
Los primeros días de primavera, 1923
The First Days of Spring, 1923
Les premiers jours du printemps, 1923
Die ersten Tage des Frühlings, 1923

52|53

Galarina, 1944-45

54|55

Desmaterialització del nas de Neró, 1947
Desmaterialización de la nariz de Nerón, 1947
Dematerialization of Nero's Nose, 1947
Dématérialization du nez de Néron, 1947
Dematerialisation von Neros Nase, 1947

56|57

Dalí d'esquena pintant Gala d'esquena eternitzada per sis còrnies virtuals provisionalment reflectides en sis veritables miralls, 1972-73

Dalí de espaldas pintando a Gala de espaldas eternizada por seis córneas virtuales provisionalmente reflejadas en seis verdaderos espejos, 1972-73

Dalí from the Back Painting Gala from the Back Eternized by Six Virtual Corneas Provisionally Reflected in Six Real Mirrors, 1972-73

Dalí de dos peignant Gala de dos éternisée par sis cornées virtuelles provisoirement reflétées dans sis véritables miroirs, 1972-73

Dem Betrachter den Rücken zuwendend, malt Dalí eine von sechs virtuellen, vorübergehend in sechs wirklichen Spiegeln reflektierten Hornhäuten verewigte Gala von hinten, 1972-73

58|59

El torero al·lucinogen, 1969-70

El torero alucinógeno, 1969-70

The Hallucinogenic Toreador, 1969-70

Le torero hallucinogéne, 1969-70

Der halluzinogene Torero, 1969-70

60|61

L'espectre del sex-appeal, 1932

El espectro del sex-appeal, 1932

The Specter of Ssex-appeal, 1932

Le spectre du sex-appeal, 1932

Das Gespenst des Sex-Appeals, 1932

62|63

Noia de Figueres, C. 1926
Muchacha de Figueres, C. 1926
Girl from Figueres, C. 1926
Jeune fille de Figueres, C. 1926
Mädchen aus Figueres, C. 1926

64|65

La Venus qui somriu, C. 1921
La Venus sonriente, C. 1921
The Smiling Venus, C. 1921
Venus qui sourit, C. 1921
Lachende Venus, C. 1921

66|67

Bust de Venus "otorrinològic", 1965
Busto de Venus "otorrinológico", 1965
"Otorrino-logical" Bust of Venus, 1965
Buste de Venus "oto-rhinologique", 1965
"Otorrhinologischer" Kopf der Venus, 1965

68|69

Darrere la finestra, a mà esquerra, d'on surt una cullera, Velázquez agonitza, 1982
Detrás de la ventana, a mano izquierda, de donde sale una cuchara, Velázquez agoniza, 1982
Behind the Window, on the Left Side, Where a Spoon is Coming Out, Velázquez is Agonizing, 1982
Derrière la fenêtre, à gauche, d'où sort une cuillère, Velázquez agonisant, 1982
Hinter dem Fenster, links, dort, wo ein Löffel zu sehen ist, liegt Velázquez im Sterben, 1982

70|71

La panera de pa, 1945
La cesta de pan, 1945
The Basket of Bread, 1945
La corbeille de pain, 1945
Der Brotkorb, 1945

72|73

Equilibri intra-atòmic d'una ploma de cigne, 1947
Equilibrio intra-atómico de una pluma de cisne, 1947
Intra-atomic Equilibrium of a Swan's Feather, 1947
Equilibre intra-atomique d'une plume de cygne, 1947
Intraatomares Gleichgewicht einer Schwanenfeder, 1947

74|75

Maniquí barcelonès, 1926
Maniquí barcelonés, 1926
Barcelona Mannequin, 1926
Mannequin barcelonais, 1926
Barcelonaer Schneiderpuppe, 1926

76|77

El peu de Gala, 1974
El pie de Gala, 1974
Gala's Foot, 1974
Le pied de Gala, 1974
Galas Fuß, 1974

78|79

Singularitats, c. 1935
Singularidades, c. 1935
Singularities, c. 1935
Singularités, c. 1935
Singularitäten, c. 1935

80|81

Singularitats, C. 1935
Singularidades, C. 1935
Singularities, C. 1935
Singularités, C. 1935
Singularitäten, C. 1935

82|83

Equilibri intra-atòmic d'una ploma de cigne, 1947
Equilibrio intra-atómico de una pluma de cisne, 1947
Intra-atomic Equilibrium of a Swan's Feather, 1947
Equilibre intra-atomique d'une plume de cygne, 1947
Intraatomares Gleichgewicht einer Schwanenfeder, 1947

84|85

Noia de Figueres, C. 1926
Muchacha de Figueres, C. 1926
Girl from Figueres, C. 1926
Jeune fille de Figueres, C. 1926
Mädchen aus Figueres, C. 1926

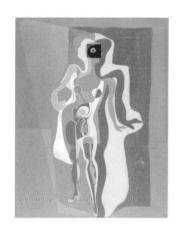

86|87
Maniquí barcelonès, 1926
Maniquí barcelonés, 1926
Barcelona Mannequin, 1926
Mannequin barcelonais, 1926
Barcelonaer Schneiderpuppe, 1926

Amb el suport de:

**FUNDACIÓ
GALA - SALVADOR DALÍ**

www.salvador-dali.org